CHEFS-D'ŒUVRE ILLUSTRÉS AQUILA

La Guerre des mondes

D'APRÈS

H.G. Wells

Texte français et lexique
par G. Robert McConnell, M.A.
Coordonnateur des langues modernes
Conseil scolaire de Scarborough, Ontario

AQUILA COMMUNICATIONS LTD
2 Thorncliffe Park Drive #35 • Toronto, Ontario M4H 1H2 • Tél.: 416/425 9100

Illustrations : Alex Nino

ISBN 2-89054-016-2
987654321 987654321

Dépôt légal, 3e trimestre 1981
Bibliothèque nationale du Québec
Bibliothèque nationale du Canada

Composition typographique, impression et reliure
réalisées au Canada

Préface

La jeunesse n'a, ou croit n'avoir plus de temps, ou plus de goût pour la lecture. La musique populaire, les sports, la technique, le souci d'une rentabilité immédiate ou d'une facile satisfaction, l'audio-visuel peuvent expliquer cette désaffection.

Cependant le désir de s'identifier à quelque héros, de vivre avec lui quelque aventure, de fuir le quotidien dans l'imaginaire, ce désir-là demeure bien vivant chez les jeunes. C'est pourquoi la bande dessinée, divertissante, d'accès facile, remporte aujourd'hui un si grand succès.

Si la collection que nous offrons ici s'apparente, c'est évident, à la bande dessinée, nous préférons parler de livres illustrés. En effet, des «classiques» dont la valeur culturelle et littéraire est consacrée en constituent la valeur première; ainsi espérons-nous éveiller un intérêt envers l'œuvre elle-même, envers l'auteur, et, qui sait, conduire nos jeunes amis vers le texte intégral.

De plus, texte et illustrations se veulent, malgré leur caractère simple et direct, empreints d'authenticité et respectueux du message original. Enfin, contrairement à certaines bandes dessinées où le langage se réduit souvent à l'onomatopée, le vocabulaire sera sans recherche mais clair et précis, les structures syntaxiques, ni trop littéraires, ni trop populaires, s'en tiendront toujours à un niveau correct, l'emploi des temps verbaux, limités au présent, au passé composé, à l'imparfait et au plus-que-parfait, demeurera rigoureux.

Ainsi, notre souci d'être accessible et de plaire au jeune lecteur ira-t-il toujours de pair avec celui de préserver la qualité de la communication.

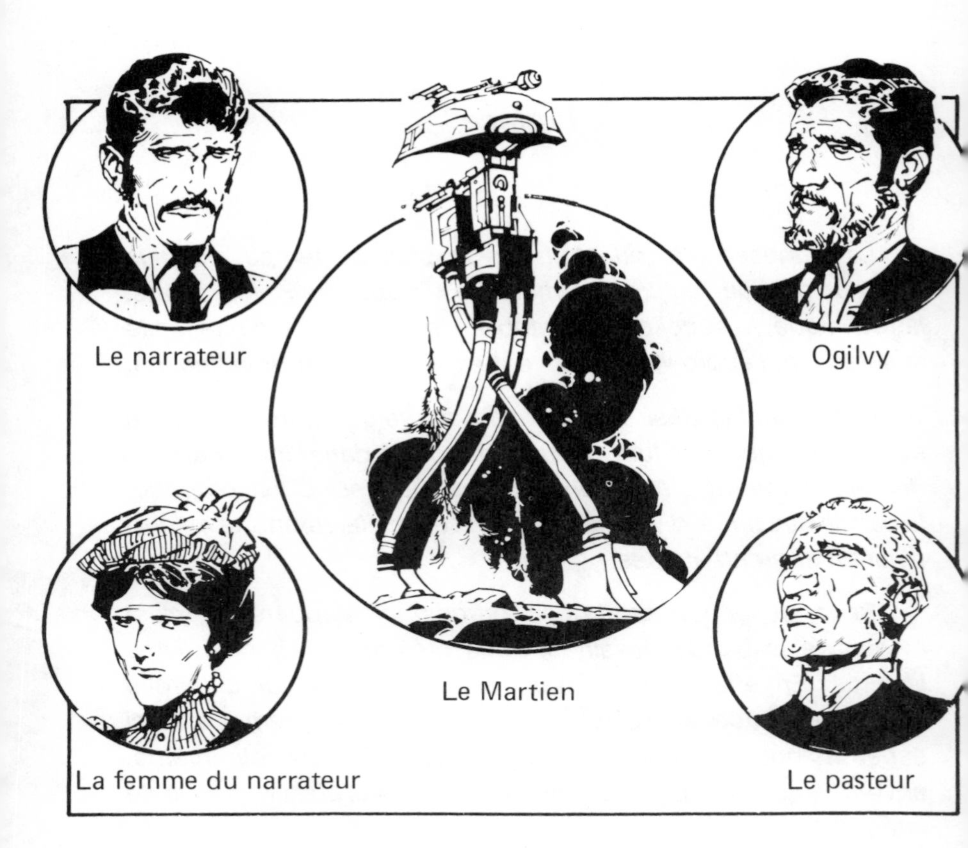
Le narrateur
Ogilvy
Le Martien
La femme du narrateur
Le pasteur

Vers la fin du XIXe siècle, personne ne pensait que des créatures plus intelligentes que l'homme existaient dans l'univers. Cependant, loin dans l'espace, ces créatures observaient notre planète et se préparaient à l'attaquer.

Nous sommes à la fin du XIXe siècle. La nouvelle d'une grande explosion sur la planète Mars intrigue les astronomes du monde entier. Une grosse boule de feu se dirige rapidement vers la Terre. Il y a bien quelques petits articles à ce sujet, dans les journaux, mais personne ne semble se soucier du danger qui approche.

J'ai rencontré par hasard mon ami Ogilvy, l'astronome, qui m'en a parlé.

Cette nuit-là, à minuit tapant, j'ai vu au télescope une autre explosion de gaz.

Les vaisseaux martiens s'approchent de la Terre à toute vitesse, un peu plus chaque jour.

Après quelques nuits d'observation, Ogilvy aperçoit le premier météorite.

Très tôt le matin, il part à sa recherche.

Un cylindre !
C'est étrange !
D'habitude, les
météorites sont
ronds.
Au début, la chaleur empêche
Ogilvy de s'approcher.

Un déclic !
C'est sans
doute le bruit
du métal qui
se refroidit.

Le haut
se dévisse...

Tout à coup, il remarque que le cylindre est creux. Il y a quelque chose à l'intérieur.

Soudain, il comprend que ce cylindre a un rapport avec l'explosion qu'il a observée sur Mars.

Il court vers la ville pour chercher de l'aide. Il rencontre Henderson, reporter d'un journal de Londres, qui travaille dans son jardin.

En route vers le champ, Ogilvy raconte à Henderson ce qu'il a vu.

Ils frappent le métal avec un bâton, mais il n'y a pas de réponse.

Ils retournent à la ville chercher du secours.

Tout le monde parle du mystérieux cylindre. C'est dans tous les journaux.

Intrigué, je suis retourné au champ. Plusieurs personnes étaient déjà là.

Comme tout le monde, je m'attendais à voir sortir un homme. Mais non ! J'ai vu deux cercles lumineux, pareils à des yeux. Puis, une sorte de serpent s'est approché de moi en ondulant.

Une femme a poussé un cri d'effroi. Derrière moi, la foule a reculé. Terrifié, j'ai vu d'autres tentacules sortir du cylindre.

Au milieu d'une grosse masse grisâtre, deux grands yeux me fixaient.

Soudain, une deuxième créature est apparue dans l'ouverture du cylindre.

Horrifié, j'ai couru me cacher dans la forêt.

De là, j'ai regardé la scène avec terreur et fascination.

Les tentacules étaient clairement visibles.

Une longue tige de métal s'est élevée. Au bout de la tige, un disque tournait.

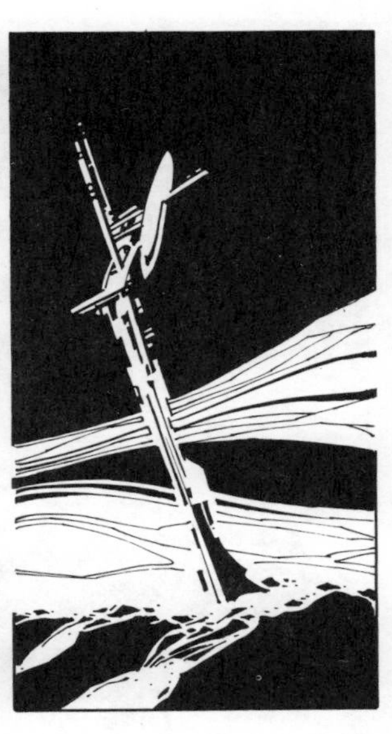

Un petit groupe d'hommes s'est approché du cylindre. À la tête du groupe, un homme portait un drapeau blanc.

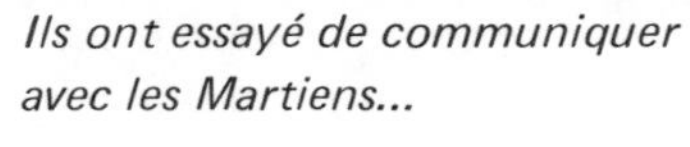

Un éclair a jailli. Trois nuages de fumée verte se sont échappés du vaisseau.

Puis, une forme est sortie lentement de l'ouverture du vaisseau, en même temps qu'un puissant rayon lumineux...

... qui a frappé les hommes et les a carbonisés entièrement.

Le rayon ardent m'avait presque touché. J'étais incapable de bouger.

Puis, fou de peur, je me suis enfui.

J'ai laissé derrière moi une quarantaine de morts et, parmi eux, Ogilvy et Henderson.

Je ne me rappelle pas ma fuite. Seulement ma peur. Épuisé, je suis tombé sur le bord du chemin.

Quand j'ai repris connaissance, c'était comme si j'avais rêvé.

J'ai continué en direction de la ville.

Je me suis arrêté devant un groupe de gens.

Je me sentais ridicule et agacé. J'ai essayé de leur raconter ce que j'avais vu, mais je ne pouvais pas.

Arrivé à la maison, j'ai tout raconté à ma femme.

Après avoir dîné, je me sentais beaucoup mieux.

Je ne le savais pas à ce moment-là, mais j'allais passer des journées étranges et terrifiantes.

Je ne m'étais pas rendu compte du génie mécanique des Martiens. Toute la nuit, ils ont préparé les machines qu'ils allaient utiliser pour compenser leur faiblesse physique.

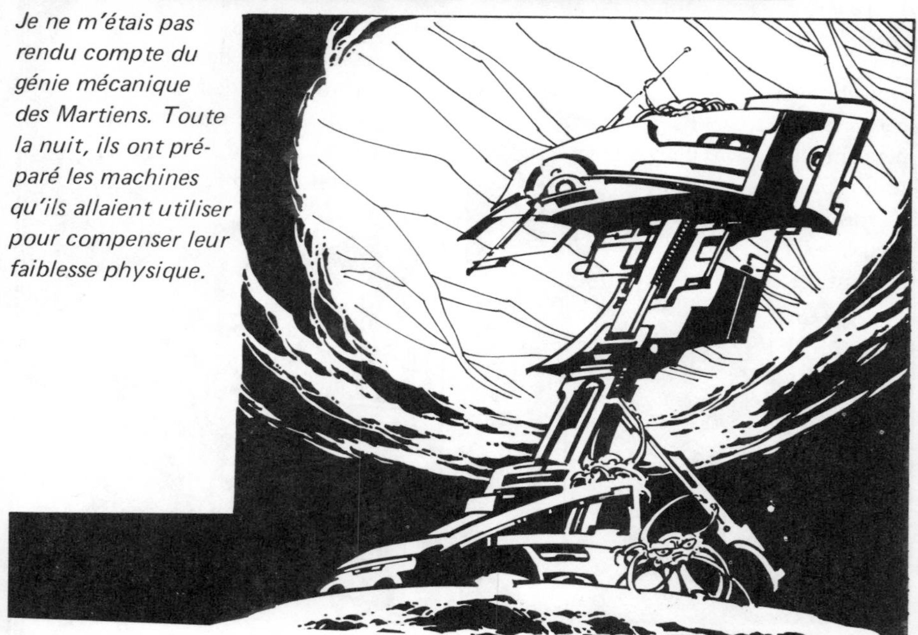

Le soir, vers onze heures, l'armée a pris position près du champ où se trouvait le vaisseau des Martiens.

Peu après minuit, un autre météorite est tombé. Un deuxième cylindre !

Le lendemain, aucune nouvelle. Le laitier est passé comme d'habitude...

Après le petit déjeuner, j'ai décidé de retourner dans le champ. Près du pont, j'ai rencontré des soldats.

Aucun d'eux n'avait vu les Martiens. Je leur ai décrit le rayon ardent.

Je suis rentré chez moi. Il faisait beau. Nous avons dîné sur la terrasse.

Tout à coup, une détonation a fait trembler la Terre.

Les arbres du voisinage étaient en flammes et le clocher de l'église s'est écroulé.

Notre cheminée a commencé à s'écrouler.

Des soldats sont arrivés à cheval. Ils ont couru de maison en maison.

On a couru à l'auberge du village, car l'aubergiste avait une charrette et un cheval.

Nous sommes partis immédiatement.

Bientôt nous étions loin de la fumée et du bruit. La campagne était tranquille et ensoleillée.

Arrivé au sommet d'une colline, je me suis retourné et j'ai vu de la fumée noire et des flammes rouges. Les Martiens étaient en train de détruire tout ce qui était à portée de leur rayon ardent.

Nous sommes arrivés sans problèmes chez les cousins de ma femme.

J'ai laissé ma femme chez ses cousins et je suis retourné à la maison.

Ma femme m'a regardé partir avec inquiétude et tristesse.

Sur mon chemin, les maisons étaient sombres et silencieuses. Derrière moi, le clocher d'une église a sonné minuit.

Tout à coup, une violente lumière verte a illuminé le chemin. Un troisième cylindre est tombé dans un champ, à ma gauche.

Un éclair a déchiré le ciel et a terrifié mon cheval.

Le cheval a galopé sous une pluie battante.

Soudain, j'ai vu quelque chose descendre rapidement la colline, pas loin de moi.

Comment décrire ce que j'ai vu ? C'était une sorte de robot métallique géant à trois pattes qui marchait en écrasant les sapins.

Puis, juste devant moi, un deuxième tripode a surgi de l'obscurité.

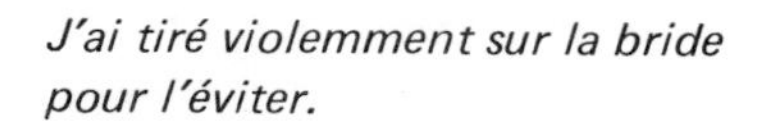

J'ai tiré violemment sur la bride pour l'éviter.

La charrette s'est renversée et je suis tombé dans une mare d'eau.

Je me suis caché et le tripode est passé près de moi sans me voir.

En passant, il a poussé un hurlement et, un instant plus tard, il a rejoint son compagnon.

Ils se sont penchés sur quelque chose, dans le champ, sans doute le troisième cylindre.

J'ai réussi à me cacher dans la forêt.

Épuisé, je suis enfin arrivé chez moi.

J'ai entendu un bruit à l'extérieur.

Mon cheval a trébuché et je suis tombé dans un fossé.

Au même instant, il y a eu une grande explosion : c'était le rayon ardent qui faisait exploser les obus !

Terrifié, je suis resté longtemps immobile.

Par la fenêtre, nous avons regardé le village détruit et les trois géants métalliques qui inspectaient les ruines.

Nous ne pouvions pas rester dans la maison.

Nous avons rempli nos poches de nourriture, puis nous avons quitté la maison silencieusement.

Après avoir traversé un bois, nous avons rencontré un officier à cheval.

Les soldats ont conseillé aux gens de quitter leurs maisons. Leur tâche n'était pas facile.

Dans un champ, nous avons vu six gros canons entourés de soldats.

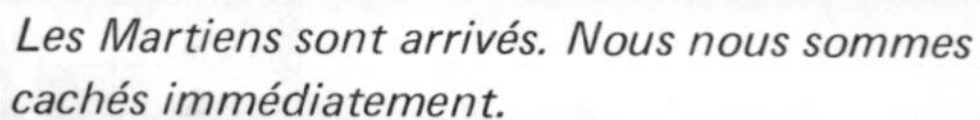
Les Martiens sont arrivés. Nous nous sommes cachés immédiatement.

Les six canons ont commencé à tirer sur les géants métalliques. Tout à coup, un obus a atteint un des Martiens.

Le Martien a trébuché et il est tombé.

Son compagnon a dirigé son rayon ardent sur les troupes. Les canons et les obus ont explosé.

Le Martien touché est sorti de sa carapace métallique pour faire des réparations.

Il a réparé son engin sans difficulté.

Les bois étaient en flammes et les gens couraient dans toutes les directions. Finalement, j'ai trouvé une cachette ; je me suis couché et je me suis endormi.

Quand je me suis réveillé, il y avait un pasteur à côté de moi.

Il était devenu presque fou, je pense.

Tout à coup, on a vu deux Martiens.

Je savais qu'il y avait beaucoup de canons et de soldats cachés. Mais les Martiens n'ont pas utilisé leur rayon ardent.

Ils ont plutôt employé une autre arme aussi terrible : la Fumée Noire.

La fumée mortelle a recouvert le sol, et s'est infiltrée dans tous les trous et toutes les crevasses de la Terre. Respirer cette fumée, c'était la mort instantanée.

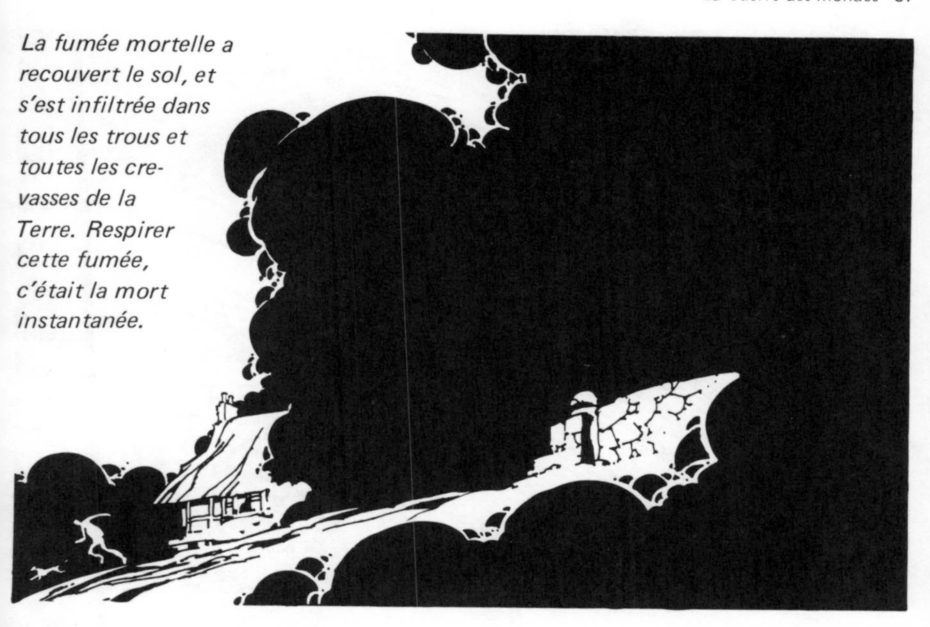

Après avoir tué tous les hommes, les Martiens ont nettoyé l'atmosphère d'un jet de vapeur.

La Fumée Noire cherchait les hommes partout et les empoisonnait. Les canons étaient impuissants contre cette arme horrible et terrifiante.

Quand ils ont appris la nouvelle, les Londonniens ont été saisis de frayeur. Mon frère cadet, qui était à Londres à l'époque, m'a raconté plus tard son expérience.

À Londres, c'était la panique. Des millions d'habitants fuyaient la ville.

Mon frère a atteint la côte et a trouvé place sur un bateau déjà surchargé. Même les bateaux de pêche prenaient des passagers.

Soudain, un Martien est apparu. À distance, il semblait très petit.

Avec fascination et terreur, mon frère a observé le Martien qui avançait rapidement vers le bateau.

Tout à coup, le bateau a viré de bord.

Un destroyer s'approchait rapidement.

Il se dirigeait à toute vitesse vers le Martien.

Tout à coup, le destroyer a tiré sur le Martien de tous ses canons.

Mais le Martien a dirigé sur le destroyer son rayon ardent et le navire a explosé.

Il commençait à faire nuit quand le capitaine a poussé un cri.

C'était le quatrième cylindre qui tombait.

Pendant tout ce temps-là, moi, j'étais caché avec le pasteur dans la maison déserte.

Plus tard...

Mais je savais que je devais partir.

Tout à coup, nous avons vu un Martien.

Il suivait des gens, mais, au lieu d'utiliser son rayon ardent,

il les ramassait...

et les plaçait dans une cage métallique.

Nous nous sommes jetés dans un fossé pour nous cacher.

Nous n'avons pas osé sortir avant la nuit.

Nous avons évité les chemins.

Dans une maison déserte, nous avons cherché de la nourriture.

Quand j'ai repris connaissance, nous étions dans l'obscurité.

Nous n'avons presque pas bougé jusqu'au lever du soleil. Puis nous avons vu, par un trou dans le mur, un Martien qui montait la garde.

Au début, j'avais peur de respirer. Finalement, la faim nous a poussés vers la cuisine. Pendant des jours, nous avons regardé les Martiens bâtir leurs terribles machines.

Le neuvième jour, un bruit m'a réveillé brusquement. J'ai vu le corps du pasteur sur le plancher... Un énorme tentacule s'approchait de lui.

Je me suis vite caché dans la soute à charbon. Est-ce que le Martien m'avait vu ?

J'ai vu le Martien emporter le pasteur.

J'ai essayé de me couvrir de charbon.

J'ai entendu le Martien essayer d'ouvrir la porte.

La porte s'est ouverte. Le Martien s'est avancé vers moi.

Il a touché ma chaussure. Je me suis mordu la main pour m'empêcher de crier.

Il a ramassé un morceau de charbon pour l'examiner.

Puis il s'est retiré. La porte s'est fermée et il ne restait plus que le silence.

Il n'est pas revenu, mais je suis resté quand même encore un jour dans l'obscurité. Enfin, j'ai dû chercher de l'eau.

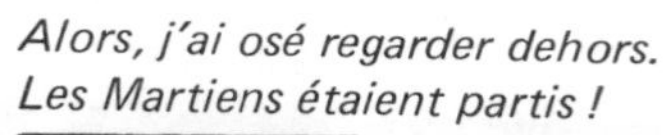

Alors, j'ai osé regarder dehors. Les Martiens étaient partis !

Je suis sorti de ma cachette.

Le ciel était bleu et clair. Il n'y avait pas un seul Martien en vue.

Je suis parti pour Londres. En route, je cherchais de la nourriture.

Un chat effrayé s'est enfui.

Je me souviens de m'être caché dans un fossé.

Puis, un rat.

Et sous du charbon.

Comme les animaux qui s'étaient enfuis devant moi, je devais, moi aussi, m'enfuir devant les Martiens qui dominaient maintenant la Terre.

J'ai erré pendant deux jours, trouvant peu de nourriture, et sans voir d'autres êtres humains.

Enfin, je suis arrivé à Londres. Les rues étaient désertes. J'avais l'impression d'être le dernier être humain sur la Terre.

Soudain, j'ai entendu une sorte de hurlement.

C'était un bruit étrange, inhumain...

... horrible.

J'étais fou de terreur !

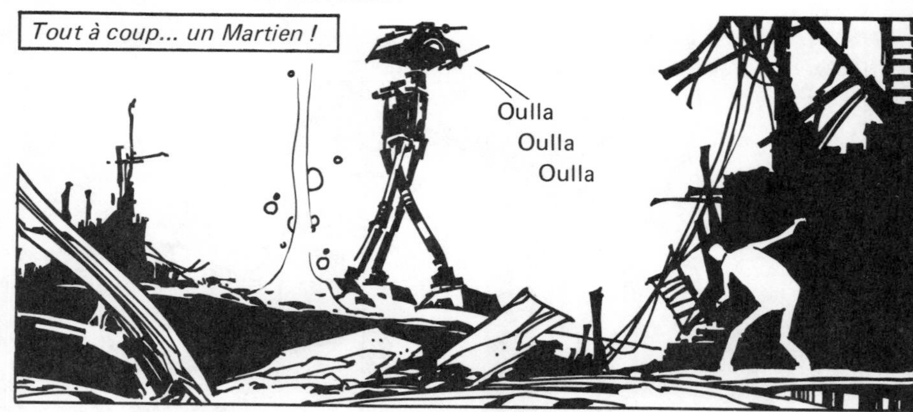

Je me suis approché. Il ne bougeait pas. Il était silencieux... mort !

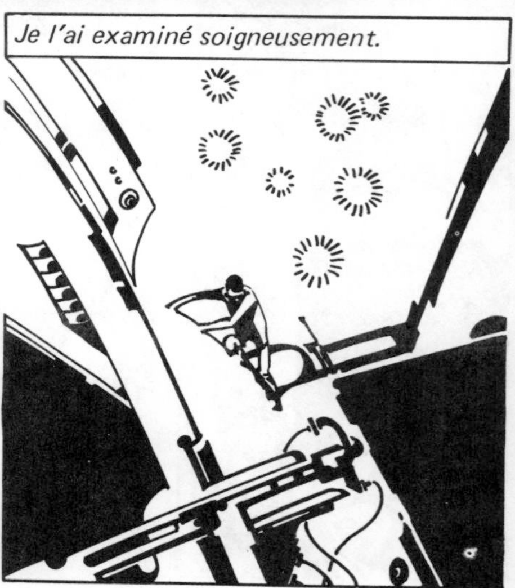

Les Martiens étaient morts. Il y en avait une cinquantaine, tués par quelque chose qu'ils étaient sans doute incapables de comprendre.

Les plus petites choses de la Terre les avaient tués : des bactéries !

Sur Mars, il n'y a pas de bactéries. Les corps des Martiens ne pouvaient pas résister aux maladies bactériennes.

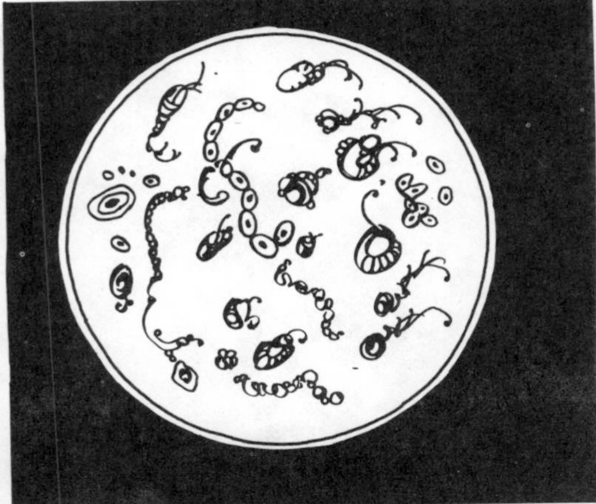

Les bactéries avaient tué les Martiens, comme elles avaient tué beaucoup d'êtres humains avant la découverte des drogues miracles.

La bonne nouvelle s'est répandue dans le monde entier.

Les cloches des églises ont sonné la joie.

J'ai pris le premier train...

... et je suis enfin arrivé chez moi.

*La fenêtre de mon cabi-
net de travail était
toujours ouverte.*

*Les traces boueuses de nos
pas étaient toujours sur
l'escalier.*

*Et, sur mon bureau, j'ai
retrouvé le travail que
j'avais interrompu.*

*Je suis descendu. Ma femme n'était
pas dans la maison.*

J'étais désespéré.

Tout à coup, la porte s'est ouverte derrière moi.

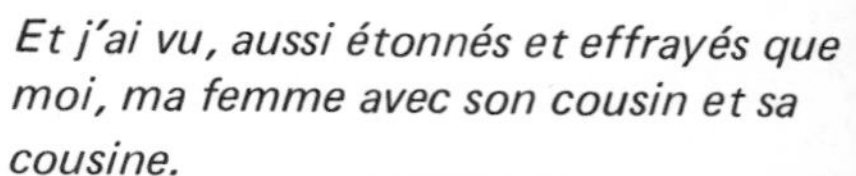

Et j'ai vu, aussi étonnés et effrayés que moi, ma femme avec son cousin et sa cousine.

Ma femme a presque perdu connaissance. Je l'ai prise dans mes bras.

C'était merveilleux d'être de nouveau près de ma femme. Dire que je l'avais crue morte et qu'elle aussi m'avait cru mort !

Ces événements ont beaucoup changé nos idées sur l'avenir de l'humanité. Nous avons appris que nous ne sommes pas seuls dans l'univers. Si les Martiens sont capables de voyager dans l'espace, nous pouvons le faire aussi. Je rêve de voir un jour les habitants de cette petite planète qu'est la Terre explorer l'univers.

FIN

LEXIQUE

A

agacé : annoyed
anéantir : to annihilate
apercevoir - to sight
apparaître : to appear
ardent ; rayon (m.) ardent : heat ray
armée (f.) : army
arrêter : to stop
atteindre : to hit
s'attendre à : to expect
atterrir : to land
auberge (f.) : inn
aubergiste (m., f.) : innkeeper
avenir (m.) : future
aveuglant : blinding

B

bactérie (f.) : bacterium
bactérien : bacterial
bâtir : to build
bâton (m.) : stick
bois (m.) : wood
boîte (f.) : box
bord (m.) : edge
boueux : muddy
bouger : to move
boule (f.) : ball
bout (m.) : end
bride (f.) : bridle
bruit (m.) : noise

C

se cacher : to hide
cachette (f.) : hiding place
cadet : younger
carapace (f.) : shell
carboniser : incinerate
cependant : however
cercle (m.) : circle
chaleur (f.) : heat
champ (m.) : field
charbon (m.) : coal
charrette (f.) : cart
chaud : hot
chaussure (f.) : shoe
chemin (m.) : road
cheval (m.) : horse
cloche (f.) : bell
colline (f.) : hill
conduire : to lead
connaissance ; perdre connaissance : to faint
conseiller : to advise
corps (m.) : body
côte (f.) : coast
courir : to run
couvercle (m.) : cover
creux : hollow

D

d'accord : agreed
déclic (m.) : click
début ; au début : at first
déchirer : to tear, to split
découverte (f.) : discovery
décrire : to describe
dehors : outside
démolir : to demolish
désolé : sorry
détruire : to destroy
devenir : to become
se dévisser : to unscrew
disparaître : to disappear
drapeau (m.) : flag

E

eau (f.) : water
s'échapper : to escape
éclair (m.) : flash

écraser : to crush
s'écrouler : to crumble
effrayé : frightened
effroi (m.) : fright
empêcher : to prevent
s'endormir : to fall asleep
endroit (m.) : place
enfin : finally
s'enfuir : to flee
épuisé : exhausted
errer : to wander
espace (m.) : space
essayer : to try
étonné : astonished
étrange : strange
être (m.) : being
éviter : to avoid

F

faiblesse (f.) : weakness
faim (f.) : hunger
faut; il faut : it is necessary;
  il nous faut : we need
feu (m.) : fire
fin (f.) : end
fixer : to stare at
forêt (f.) : forest
fossé (m.) : ditch
fou : mad, crazy
foule (f.) : crowd
frapper : to strike
frayeur (f.) : fright
fuite (f.) : flight
fumée (f.) : smoke

G

gars (f.) : guy, fellow
génie (m.) : genius
gens (m. pl.) : people
grisâtre : greyish

H

hasard; par hasard : by chance
haut (m.) : top
hurlement (m.) : yell, wail

I

impuissant : powerless
incroyable : incredible
inquiétude (f.) : worry
instantané : instantaneous
inutile : useless

J

jaillir : to burst forth
jambon (m.) : ham
journal (m.) : newspaper

L

laitier (m.) : milkman
lancer : to drop; to throw
lendemain (m.) : the next day
lieu; au lieu de : instead of
loin : far
lumineux : luminous

M

maladie (f.) : sickness
mare (f.) : pool
milieu; au milieu de : in the
  middle of
mordre : to bite
mourir : to die
mort (f.) : death
mort (m.) : dead person

N

navire (m.) : ship
nettoyer : to clean
nourriture (f.) : food
nouveau; de nouveau : again
nouvelles (f. pl.) : news
nuage (m.) : cloud

O

obus (m.) : shell
onduler : to sway
oser : to dare
ouverture (f.) : opening
ouvrier (m.) : worker

P

paix (f.) : peace
pareil : similar
parmi : among
patte (f.) : foot
pêche ; bateau (m.) de pêche : fishing boat
péché (m.) : sin
pelle (f.) : shovel
se pencher : to lean over
peser : to weigh
peur (f.) : fear
pluie (f.) : rain
poche (f.) : pocket
portée (f.) : range
pressé : in a hurry
puissant : powerful
puni : punished

Q

quitter : to leave

R

raconter : to tell
ramasser : to pick up
se rappeler : to remember
rapport (m.) : connection
rayon (m.) : ray
reculer : to back away
se refroidir : to cool
remplir : to fill
rencontrer : to meet
se rendre compte : to realize
se répandre : to spread
respirer : to breathe
rêver : to dream

S

sapin (m.) : fir tree
se sauver : to flee
secours (m.) : help
siècle (m.) : century
sol (m.) : earth
soldat (m.) : soldier
sonner : to ring
se soucier : to be concerned
soudain : suddenly
soute (f.) à charbon : coal bin
se souvenir : to remember
surchargé : overloaded
surgir : to appear suddenly

T

tâche (f.) : task
tentacule (m.) : tentacle
terre (f.) : earth
tige (f.) : shaft
tomber : to fall
tôt : early
tout à coup : suddenly
tout de suite : immediately
traîner : to drag, to pull
trébucher : to stumble
tristesse (f.) : sadness
trou (m.) : hole
tuer : to kill

V

vaisseau (m.) : vessel
vie (f.) : life
virer : to swerve
vitesse (f.) : speed
voisinage (m.) : neighbourhood
volontiers : gladly

CHEZ LE MÊME ÉDITEUR

LECTURES FACILES

COLLECTION LIRE

Les Ovnis
Le Retour des Ovnis
Sasquatch: légende ou réalité?
Les Dragons de Lacolle
L'Énergie
Les Grandes Inventions
Le Mystère du jeune pharaon
Les Montres du lac Champlain
Le Mystère du triangle des Bermudes
Les Gamiens arrivent
Mission S-14
Les Îles fantômes
Destination Mars
Le Monstre du Loch Ness

RÉCITS, LÉGENDES, MYSTÈRES

Intrigue en France
Intrigue en Suisse
L'Enlèvement de la Saint-Jean
Intrigue à Québec
À l'érablière
Intrigue à Paris
Étranges détectives
Procès étranges
Les Abeilles attaquent
Les Bijoux maudits
Le Vol du train postal

ÉCHOS DU QUÉBEC

Images de Montréal
Images de Québec
Visages du carnaval
Voici le Québec
Tour du Québec
Visite à Montréal
Salut, Québec!
Vie du Québec
Teacher's Guide

CHEFS-D'ŒUVRE ILLUSTRÉS

Dr Jekyll et M. Hyde
Frankenstein
Dracula
Le Bossu de Notre-Dame
Les Trois Mousquetaires
Un Conte de deux villes
Le Mouron rouge
Vingt mille lieues sous les mers
Voyage au centre de la terre
Sherlock Holmes
L'Île au trésor
Moby Dick
Don Quichotte
L'Histoire de ma vie
Le Masque de fer
Le Prisonnier de Zenda
L'Homme invisible
Les Voyages de Gulliver
Robinson Crusoé
Crime et châtiment
Le Tour du monde en quatre-vingts jours
Ivanhoé
Les Robinsons suisses
La Machine à explorer le temps

LE FRANÇAIS PRATIQUE

Chez le médecin
Au Supermarché
Au Restaurant
À l'Aéroport
À l'Hôtel
L'Électricien
Le Plombier
Le Mécanicien
À la Pharmacie
Les Grands magasins

LE FRANÇAIS CHEZ NOUS

NIVEAU 1
Bonjour Marc!
Bienvenue à Timmins!
Chez les Dubé
En route!
Guide du maître 1

NIVEAU 2
Bienvenue à Ottawa!
La Famille Tremblay
Vive l'hiver!
Visite à Hull
Guide du maître 2

NIVEAU 3
Bienvenue à Noëlville!
Chez les Giroux
Salut, les cousins!
Bonne Fête, André!
Guide du maître 3

DIVERS

Panorama de la grammaire française
Laboratoires de langues
Matière et manière (composition française)
Les Mille premiers mots
Je Réponds au téléphone
5 cassettes
Images de Paris
L'Analyse textuelle

LECTURES FRANÇAISES

ADVANCED READERS
La Civilisation, ma mère!
Cassette
Nouvelles contemporaines
Québec raconte
Maria Chapdelaine

aquila

AQUILA COMMUNICATIONS LTD
2 Thorncliffe Park Drive #35 • Toronto, Ontario M4H 1H2 • Tél.: 416/425 9100